말썽꾼 해리, 소시지로 복수하다

감사의 말

1997년 8월 2일 코네티컷 주의 돌로 지은 오래된 교회에서
아름다운 결혼식을 올린 딸 에밀리와 사위 빅터 허턱에게
사랑을 담아 바칩니다.

원고를 쓰는 데 도움을 준 편집자 캐시 헤네시, 유머 감각이 넘치는 남편 루퍼스,
함께 코네티컷 이스트그랜비의 올드 뉴게이트 감옥 구리 광산에 다녀온
멋진 3학년 우리 반 아이들에게 특별히 감사의 말을 전합니다.

동화는 내 친구 72

말썽꾼 해리, 소시지로 복수하다

초판 1쇄 2013년 11월 11일
지은이 수지 클라인 | 그린이 프랭크 렘키에비치 | 옮긴이 햇살과나무꾼
펴낸이 박강희 | 펴낸곳 도서출판 논장 | 등록 제10-172호·1987년 12월 18일
주소 121-883 서울시 마포구 합정동 413-16 전화 02)335-0506 팩스 02)332-2507
ISBN 978-89-8414-166-7 73840

· 책값은 뒤표지에 있습니다. · 잘못된 책은 바꿔 드립니다.

동화는 내 친구 72

말썽꾼 해리, 소시지로 복수하다

수지 클라인 글 | 프랭크 렘키에비치 그림 | 햇살과나무꾼 옮김

논장

해리가 기르는 거미가 끔찍한 일을 당했어!

그러다 10시 17분에 사건이 터졌다.

모두들 자기 일을 하느라 한창 바쁘던 때였다.

해리는 찰스에게 먹이를 주려고 창가에서

파리를 잡고 있었다.

그때 시드니가 비명을 질렀다.

"꺄아아아악! 거미가 문 밖으로 기어 나왔어.

나한테 오고 있다고!"

해리는 파리채를 내려놓고 부리나케 달려갔다.

하지만 너무 늦었다.

시드니가 내 구리 광석을 집어 들고

냅다 거미를 내리친 것이다.

찌직!

해리가 빽 소리쳤다.

"네가 찰스를 죽였어!"

차 례

우리가 화성에 왔나? · 9

3학년이 되어도 바뀌지 않는 두 가지 · 20

죽음을 부른 사건 · 31

돌을 먹다 · 40

광산에서 일어난 살인 · 47

시드니가 사라지다! · 66

우리가 화성에 왔나?

나는 3학년으로 올라가는 날을 손꼽아 기다렸다.

3학년이 되어도 반은 바뀌지 않는다.

선생님도 같은 선생님.

교실도 같은 교실.

무엇보다…… 해리와 함께 또 한 해를 지내게 되었다. 우리는 무사히 3학년이 되겠지.

아니, 내가 잘못 짚었다!

세 학년 첫날, 해리와 나는 같이 복도를 걸어갔다.

해리가 말했다.

"이제 3학년이 되어 볼까, 더그?"

"그래, 되어 보자."

우리는 손바닥을 짝 마주쳤다.

그런데 교실 앞까지 갔다가 우뚝 멈추어 서고 말았
다. 초록 눈에 키가 큰 대머리 남자 선생님이 우리를
맞았기 때문이다.

"어서 와라, 애들아!"

해리가 물었다.

"우리 선생님은요? 여긴 우리 교실인데요!"

"아니, 아니. 나는 몰더 선생님이라고, 2학년 아이들을 맡고 있어. 이 교실은 2학년 교실이란다."

해리는 교실로 들어가 두리번거렸다.

"우리 선생님을 어딘가 숨겨 놓은 거예요?"

몰더 선생님이 반짝반짝 빛나는 대머리를 긁적였다.

"숨겨 놓다니?"

해리와 나는 눈짓을 주고받았다. 도대체 어떻게 된 거지? 여기는 우리 학교가 아닌가?

우리는 확인해 보려고 바깥으로 달려 나갔다. 현관 문 바로 위 시멘트 벽에 학교 이름이 적혀 있었다.

사우스 초등학교
1901년 개교

"이럴 수가, 우리 학교가 맞는데."

내가 말하자 해리도 맞장구쳤다.

"정말 이상하네. 3학년에 올라가도 선생님은 안 바뀌는데. 우리 선생님은 도대체 어디 있지?"

우리는 다시 안으로 들어갔다.

내가 말을 꺼냈다.

"교무실에 가 보자."

교무실에 가 보니 커다란 꽃다발이 놓여 있었다. 해리가 플라스틱 포크에 꽂혀 있는 작은 쪽지를 읽었다.

쪽지에는 '카펜터 선생님, 축하해요!'라고 쓰여 있었
다.

우리는 서무 선생님 책상 앞에 앉아 있는 여자 선생
님을 보았다. 그 선생님은 우리를 등진 채 컴퓨터로
뭔가를 치고 있었다.

해리가 말했다.

"저 선생님은 서무 선생님이 아니야. 서무 선생님
은 저런 금발이 아니거든. 게다가 서무 선생님 이름은
폭스워스야, 카펜터가 아니라."

내가 말했다.

"챈 선생님한테 가서 여쭤 보자. 우리 유치원 때 선
생님 말이야."

우리는 쏜살같이 유치원으로 달려갔다. (미국의 유치원
은 주로 초등학교에 딸려 있다. ─옮긴이)

그랬더니 백설 공주처럼 생긴 젊은 여자 선생님이
이렇게 말하지 않는가?

"무슨 일이니, 얘들아? 나는 유치원 선생님인 자하
렉이라고 하는데."

"으아아아아아악!"

우리는 비명을 지르며 포스터가 붙어 있는 벽을 쿵쿵 두드렸다. 포스터에는 '내가 정말 알아야 할 모든 것은 유치원에서 배웠다.'라고 적혀 있었다.

그때 교장 선생님이 나타났다.

교장 선생님의 곱슬곱슬한 머리카락과 콧수염이 보이자, 우리는 만세를 불렀다.

"교장 선생님!"

"어이구, 해리와 더그 아니냐. 길이라도 잃었니?"

해리가 주먹을 불끈 쥐며 대답했다.

"네! 꼭 화성에 온 것 같아요!"

교장 선생님은 껄껄 웃으며 콧수염을 비비 꼬았다.

"보아하니, 3학년 교실을 찾는 것 같구나. 3학년 교실은 위층에 있단다. 가정 통신문에 적혀 있을 텐데, 안 읽어 봤니?"

해리와 나는 어깨를 으쓱했다.

"계단을 올라가서 왼쪽으로 가. 복도 오른쪽의 두 번째 교실이 3학년 2반이야."

해리와 나는 잽싸게 자리를 떴다. 그러고는 몇 초 만에 계단을 뛰어올라 왼쪽으로 돈 다음, 복도 오른쪽에 있는 두 번째 교실을 찾았다.

해리가 말했다.

"이 교실은 진짜 화성인가 봐. 이것 봐, 문밖에 돌 덩이가 산더미처럼 쌓여 있어."

"잠깐, 이건 진짜 돌이 아냐. 슈퍼마켓에서 주는 봉

투를 구겨서 갈색 스프레이 페인트를 뿌린 거라고.”

해리는 킁킁 냄새를 맡아 보았다. 페인트 밑으로 봉투에 적힌 글자도 희미하게 보였다.

“그러네. 가짜야.”

천천히, 우리는 돌덩이에 둘러싸인 문을 지나갔다. 교실로 들어가니 게시판에 붙어 있는 커다란 글자가 우리를 반겼다. 게시판에는 ‘돌과 함께 신 나는 3학년을.’이라고 적혀 있었다. 그러고 보니 진열대 위에도 돌이 잔뜩 놓여 있었다. 하지만 우리는 돌을 구경하러

가지 않았다. 반 아이들이 보였기 때문이다.

아이들이 소리쳤다.

"안녕, 해리! 안녕, 더그!"

송이도 있고, 메리도 있고, 시드니, 아이다, 덱스터에…… 우리 선생님도 있었다!

해리는 달려가서 선생님을 와락 껴안았다.

나는 손만 흔들었다.

속으로는 나도 해리만큼이나 반가웠지만 말이다.

"3학년이 된 걸 환영한다, 얘들아. 여름 방학을 어떻게 보냈는지 정말 궁금하구나.(미국은 여름 방학을 마치고 8월 말에서 9월 초 사이에 새 학년이 시작된다. -옮긴이)."

내가 말했다.

"그런데요, 대체 학교가 어떻게 된 거예요?"

해리가 맞장구쳤다.

"맞아요. 2학년 2반 교실에 있는 대머리 선생님은 누구예요? 폭스워스 선생님이랑 챈 선생님은 어디로 갔고요?"

선생님은 빙그레 웃었다.

"여름 방학이 끝나면 늘 조금씩 바뀐단다. 우리도 교실을 위층으로 옮겼잖아. 또 학교에 선생님 두 분이 새로 오셨어. 2학년을 맡은 몰더 선생님이랑 유치원을 맡은 자하렉 선생님이야. 챈 선생님은 은퇴하셨단다."

"그럼 서무 선생님인 폭스워스 선생님은요? 절벽에

서 떨어지기라도 하셨나요?"

"그럴 리가. 여름 방학 때 결혼을 해서 성이 바뀌었어. (미국이나 영국 등지에서는 여성이 결혼하면 남편의 성을 따른다. - 옮긴이) 이제 카펜터 선생님이란다."

내가 말했다.

"다른 분 같던데요."

"머리 색깔을 바꿔서 그래. 지금은 금발 머리지."

우리는 "아하!" 하고 말했다.

수업 종이 울리자, 해리와 나는 각자 자기 자리를 찾아갔다. 책상마다 이름이 붙어 있었다. 나는 창가 자리였다. 해리의 자리는 연필깎이와 휴지통 옆이었다. 해리는 그 자리가 마음에 드는 것 같았다. 해리가 나를 보며 엄지손가락을 치켜 들었다.

나는 뭐가 뭔지 얼떨떨해서 그냥 고개만 끄덕였다.

3학년 때는 모든 것이 바뀌는 걸까?

3학년이 되어도 바뀌지 않는 두 가지

나는 자리에 앉자마자 창밖을 내다보았다. 이 층에서 보니 아주 색달랐다. 지난해에는 학교 쓰레기장과 잔디밭, 길거리의 자동차들이 보였다. 그런데 지금은 하늘과 구름만 보인다.

해리가 교실 저쪽에서 불쑥 말했다.

"저것 좀 봐! 구급 헬리콥터가 날아가고 있어. 틀림없이 피가 철철 흐르는 사람을 병원으로 데려가고 있겠지?"

20

메리가 얼굴을 찡그렸다.

"혹시 여름 방학 동안 네가 바뀌지 않을까 싶었는데, 하나도 안 바뀌었구나."

메리는 끙 소리를 내며 덧붙였다.

"넌 여전히 끔찍해."

나는 싱긋 웃었다.

예전과 똑같은 것이 적어도 하나는 있었다.

아이다가 손을 들었다.

"선생님, 학급 임원표는 어디 있어요?"

"여기 있지. 필기체로 써 놓았단다."

선생님이 대답하며 교실 앞쪽의 게시판을 가리켰다.

3학년 학급 임원

반장	해나와 시드니
사회 부장	메리
음악 부장	송이
행정 부장	덱스터
과제 부장	리코
연락 부장	아이다

무슨 글자인지 하나도 알아볼 수 없었다. 나는 글자를 읽어 보려고 애썼다.

하지만 내가 무슨 일을 맡았는지조차 알 수 없었다.

나머지 아이들의 이름은 맨 밑의 봉투 안에 들어 있었다. 봉투에 적힌 글자도 읽을 수가 없었다.

제22회 발모 외 없음

선생님이 말했다.

"3학년 여러분, 반갑습니다. 올해도 여러분을 맡게 되어 정말 기쁘군요. 다 같이 또 한 해를 보내게 되었네요! 여러분 모두 엽서를 받았을 거예요. 엽서에 여름 방학의 추억이 담긴 물건을 가져오라고 쓰여 있었죠?"

모두들 고개를 끄덕였다.

심지어 해리까지.

해리가 숙제를 했다고? 와, 정말 다른 별에 왔나 봐!

"먼저 반장들이 나와서 국기에 대한 맹세를 한 다음, 다 같이 여름 방학 이야기를 나누어 봐요."

해리와 시드니가 작은 국기를 하나씩 들고 교실 앞으로 나갔다. 선생님은 해리와 시드니를 일부러 끝이 묶어 놓았다. 해리와 시드니는 사이가 나쁘니까. 시드니가 먼저 멍청한 짓을 하면, 해리가 꼭 복수를 한다.

3학년 때에는 해리와 시드니 사이도 바뀌게 될까?

우리는 국기에 대한 맹세를 하고 국가를 부르고 나서 자리에 앉았다.

선생님이 말했다.

"자, 이제 여름 방학에 무엇을 했는지 이야기해 봐요. 송이부터 말해 볼까?"

송이가 무릎에 놓여 있던 갈색 봉투를 열었다.

모두들 봉투에 뭐가 들어 있는지 보려고 몸을 쭉 뺐다.

"방학 때 한국에 사는 이모가 놀러 왔어요. 이모랑 같이 산책 갔다가, 이걸 찾았어요."

송이가 유리병을 들었는데, 병 안에 금빛이 나는 뭔가가 들어 있었다. 꼭 비단에 싼 달걀처럼 보였다.

"내가 선이 이모랑 같이 울타리 말뚝 밑에서 찾은 거예요. 이건 거미 알 주머니예요. 봄이 되면《샬롯의 거미줄》(돼지 윌버와 거미 샬롯의 우정을 그린, 미국 작가 E.B. 화이트의 동화―옮긴이)에서 샬롯이 만든 알 주머니처럼, 여기서 수많은 거미가 나올 거예요."

선생님은 "어머나!" 하고 감탄했다.

송이가 가져온 것이 마음에 쏙 든 것 같았다. 선생님은 가슴에 손을 얹고 있었다.

시드니가 불쑥 말했다.

"이번에는 내가 할까요? 나도 추억이 당긴 물건을
가져왔는데."

그러자 메리가 바로잡았다.

"'당기'이 아니라 '담긴'이거든. 잔깐만 기디려. 송이한테 물어볼 게 있어. 그 유리병에 뭘 씌워 놓은 거야?"

송이가 키득키득 웃으며 대답했다.

"선이 이모의 팬티스타킹이야. 헌 스타킹을 잘랐어."

모두들 까르르 웃을 때, 나는 곰곰이 송이 생각을 했다. 송이는 이제 사람들 앞에서도 제법 말을 잘했다.

덱스터가 물었다.

"알 주머니, 교실에다 둬도 돼?"

송이가 대답했다.

"그럼."

송이가 과학 진열대 위에 살며시 유리병을 내려놓자, 우리는 다시 번쩍번쩍 손을 들었다.

선생님이 말했다.

"말해 봐, 시드니."

시드니는 "이제야 내 차례군." 하고 투덜거리더니, 은박지를 풀어 뭔가를 꺼냈다.

"나는 새아빠랑 여름 방학 동안 바비큐를 무지무지 많이 해 먹었어요. 그래서 이걸 기념으로 가져왔어요."

그러고는 새까맣게 탄 소시지를 들어 보였다.

"깜빡하고 불판 위에 놔뒀다가 이렇게 됐지 뭐예요."

시드니는 낄낄 웃었다.

아이들이 킥킥킥 웃음을 터뜨렸지만, 해리와 나는 웃지 않았다. 어처구니가 없었다. 대체 저딴 걸 학교에 가져오는 애가 어디 있을까?

시드니밖에 없다.

다음은 내 차례였다.

"나는 광석을 가져왔어요. 이스트그랜비에 있는 올드 뉴게이트 감옥 구리 광산(미국 코네티컷 주 이스트그랜비에 있는 옛 광산으로, 미국에서 가장 오래된 구리 광산으로 알려져 있다. 광산이 문을 닫은 뒤에는 감옥으로 쓰였고, 지금은 관광지가 되었다. 옮긴

27

긴이)에서 가져온 거예요. 이것들은 진짜 구리예요. 이건 옛날에 쓰던 그랜비 구리 동전이고요."

내가 돌과 동전을 들어 보이자 모두들 "오오오!", "우아아!" 하고 감탄했다.

선생님이 메모판에 뭔가를 적으며 말했다.

"세상에, 더그, 거기로 견학 가면 정말 좋겠구나. 마침 과학 시간에 돌에 대해서 공부할 참이었거든! 다 같이 그 광산으로 야외 수업을 가자꾸나."

모두들 "와아!" 하고 소리쳤다.

하지만 나는 속으로 '아차, 큰일 났다.' 싶었다. 발표할 때 한 가지 사실을 슬쩍 빼먹고 이야기했더니, 그게 결국 고스란히 나한테 돌아와 버린 것이다. 사실 나는 광산에 발도 들이지 않았다. 너무 겁이 났기 때문이다. 하필이면 식구들이랑 같이 광산에 가기로 한 날 이틀 전에, 해리랑 〈톰 소여〉(미국 작가 마크 트웨인의 소설을 바탕으로 만든 영화. 주인공 톰이 친구 베키와 함께 동굴에서 길을 잃고 헤매다가 살인자 인디언 조와 맞닥뜨리는 내용이 들어 있다. −옮긴이) 영화를 보고 말았다. 영화는 무지 재미있었지만,

딱 하나, 톰과 베키가 광산에서 길을 잃고 인디언 조가 구덩이 속으로 떨어지는 장면은 너무너무 무서웠다. 그 순간 나는 굳게 마음먹었다. 죽어도 땅속으로는 들어가지 않겠노라고.

나는 '하느님, 제발 광산으로 야외 수업을 가지 않게 해 주세요.' 하고 빌었다.

해리가 말했다.

"좋아, 내 차례다."

해리는 사진을 보여 주었다. 마운틴사이드 놀이공원에서 '최후의 낙하'라는 무시무시한 엘리베이터 놀이 기구를 탔을 때 찍은 사진이었다.

"털끝만큼도 무섭지 않았어요. 누워서 떡 먹기였죠."

해리가 떵떵 소리치자, 송이와 나는 눈알을 되록되록 굴렸다.

우리는 해리가 얼마나 무서워했는지 알고 있었다.

시드니가 배꼽이 빠지게 웃어 댔다.

"아, 그러셔? 계속해 봐, 이 겁쟁이야! 사실대로 말해 보라고! 겁이 나서 벌벌 떨었다고 해야지!"

그러자 해리가 주먹을 불끈 쥐었다. 나는 해리가 무슨 생각을 하는지 알았다. 바로 복수였다.

3학년이 되어도 바뀌지 않는 또 한 가지는, 바로 해리와 시드니 사이였다.

나는 해리가 무슨 일을 벌일지 걱정스러웠다.

죽음을 부른 사건

다음 날 해리와 시드니 사이는 걷잡을 수 없이 나빠졌다. 해리는 신발 상자에 뭔가를 담아 학교로 가져왔다.

신발 상자는 뚜껑 대신 셀로판지로 덮여 있어서 안이 훤히 들여다보였다. 하지만 상자 안에는 흙과 풀, 돌멩이, 플라스틱 뚜껑, 휴지 심밖에 없었다.

아이다가 끙 소리를 냈다.

"맙소사, 또 2학년 때처럼 뱀이 들어 있는 거야?"

해리가 씩 웃으며 대답했다.

"아니, 더 멋진 거야. 여름 방학 때 엄마가 《샬롯의 거미줄》을 읽어 줘서 거미에 관심이 생겼거든."

그러자 선생님의 얼굴이 환해졌다.

"선생님도 지난해에 너희한테 읽어 줬었지."

해리가 말했다.

"맞아요. 그 책 읽고 나서 온 학교에다 거미줄 그림

붙였던 거, 절대로 못 잊을 거예요. 음, 이 상자에 들어 있는 건 진짜 거미랑 거미줄이에요. 거미한테 물을 좀 떠다 줘야겠어요."

시드니가 움찔했다.

해리는 상자 옆에 달린 문을 열고 작은 뚜껑을 꺼내더니 개수대로 가서 물을 받았다. 그러고는 다시 와서 상자 안에 살며시 집어 넣었다.

"이제 찰스가 밖으로 나오지 못하게 문을 닫습니다."

시드니가 코웃음을 쳤다.

"찰스라고? 거미한테 이름을 지어 줬어?"

해리가 무뚝뚝하게 대꾸했다.

"당연하지. 내가 기르는 거미니까. 일주일 전에 내가 욕조에서 발견한 녀석이라고."

시드니가 대꾸했다.

"거미도 목욕을 하는 줄은 몰랐는걸."

해리가 끙 소리를 냈다.

"당연히 안 하지. 찰스는 그냥 목이 말랐던 거라고.

욕조에는 물이 많이 묻어 있잖아.”

선생님이 물었다.

“무슨 종류니?”

해리가 대답했다.

“그냥 다리 여덟 개, 눈알 여덟 개인 보통 거미요. 찰스한테 필요한 건 이 집 안에 다 들어 있어요. 가끔씩 파리만 잡아서 주면 돼요.”

시드니가 말했다.

“거미는 딱 질색이야. 피를 쪽쪽 빨아 먹으니까.”

그러자 메리가 허리에 손을 얹고 말했다.

“거미도 먹고 살아야지! 샬롯이 다 말해 줬잖아.”

송이가 말했다.

“나도 내일 학교 끝나고 알 주머니 집을 만들어야겠어.”

메리가 “나도 도와줄게.” 하고 말했다.

해리와 나는 책장에서 거미가 나오는 책을 꺼냈다.

메리와 송이는 과학 공책에 찰스 그림을 그렸다.

덱스터와 아이다는 〈샬롯의 거미줄〉 놀이판을 만들

었다. 찬스 카드가 분홍색이었다.

덱스터가 찬스 카드에 질문을 적으면서 중얼중얼 소리 내어 읽었다.

"샬롯이 낳은 새끼 거미 세 마리의 이름은? 이름을 말하면 세 칸 앞으로."

그러다 10시 7분에 사건이 터졌다.

모두들 자기 일을 하느라 한창 바쁘던 때였다.

해리는 찰스에게 먹이를 주려고 창가에서 파리를 잡고 있었다.

그때 시드니가 비명을 질렀다.

"꺄아아아악! 거미가 문밖으로 기어 나왔어. 나한테 오고 있다고!"

해리는 파리채를 내려놓고 부리나케 달려갔다.

하지만 너무 늦었다.

시드니가 내 구리 광석을 집어 들고 냅다 거미를 내리친 것이다.

찌직!

해리가 빽 소리쳤다.

"네가 찰스를 죽였어!"

선생님이 허겁지겁 달려왔다.

반 아이들도 모두 과학 진열대 주위에 둥그렇게 모

여들었다.

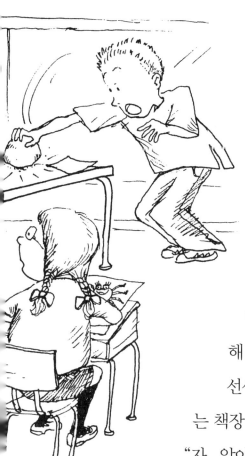

시드니가 변명을 했다.

"거미가 도망치려고 했단 말이야. 나를 물려고 했다고요. 어쩔 수 없었어요."

아무도 말이 없었다.

해리가 천천히 주먹을 움켜쥐었다.

나는 '이런.' 하고 생각했다. 해리는 이제 두 배로 복수해 주겠다고 생각하고 있었다.

선생님이 바닥에 깔개가 깔려 있는 책장 앞으로 우리를 불러 모았다.

"자, 앉아 봐, 애들아."

우리는 깔개 위에 앉았다.

"거미는 아주 이로운 친구란다. 해로운 곤충을 잡아먹어서 식물이 잘 자라게 해 주거든. 거미는 무서운 동물이 아니야."

메리가 비웃듯이 말했다.

"거미를 무서워하는 사람은 시드니뿐이에요."

모두들 시드니를 빤히 바라보았다.

시드니가 말했다.

"그래서 뭐? 거미한테 물리면 죽을 수도 있다고."

그러자 선생님이 메모판에 뭔가를 그렸다.

"미국에 사는 위험한 거미는 딱 두 종류뿐이란다. 둘 다 눈에 띄는 무늬가 있지. 하나는 검은독거미인데……."

해리가 불쑥 끼어들었다.

"배에 빨간 모래시계 무늬가 있어요."

"그래. 그리고 또 한 거미는 등에 바이올린 무늬가 있지. 이 거미는 갈색은둔거미라고 해."

모두들 선생님이 그린 그림을 자세히 들여다보았다.

"하지만 거미는 대부분 해롭지 않단다."

시드니는 얼굴을 찡그렸다.

"그래도 나한테 이로운 친구는 아니에요."

그러고는 잠시 뜸을 들이다가 말했다.

"찰리가······ 그렇게 돼서······ 미안해."

해리가 무뚝뚝하게 대꾸했다.

"찰리가 아니라 찰스야."

메리가 말을 꺼냈다.

"저어, 해리가 기르던 거미가 죽었으니까 잠시 묵념을 해야 되지 않을까요?"

선생님이 대답했다.

"좋은 생각이구나."

그래서 우리는 묵념을 했다. 우리는 고개를 숙이고 눈을 감고 찰스를 생각했다. 그리고 나서 선생님을 따라 아래층으로 내려가서 물을 마시고, 운동장에서 달리기를 했다. 선생님은 우리한테 바람을 좀 쐬게 해 주고 싶었던 모양이다.

이윽고 우리는 교실로 돌아왔다. 그런데 시드니가 뭔가를 찾느라 두리번거렸다.

시드니가 불쑥 말했다.

"어, 누가 내 소시지를 훔쳐 갔어!"

돌을 먹다

그다음 주에 해리와 시드니 사이는 더욱 심각해졌다. 아침에 우리가 학교 버스에서 내리는데, 해리가 이렇게 말했다.

"야, 시드니. 내가 돌 먹는 거 보여 줄까?"

"뭐?"

시드니는 해리가 들고 있는 가방을 흘끗 들여다보았다. 안에는 운모, 황철석, 화강암, 석영 같은 돌이 들어 있었다.

해리가 다시 말했다.

"내가 돌 먹는 거 보고 싶냐고."

시드니는 눈이 툭 튀어나왔다.

"당연히 보고 싶지."

해리가 말했다.

"흐음, 그렇다면 너도 뭔가 해야 돼."

시드니는 "우유 사 먹을 돈은 못 줘." 하고 미리 못을 박았다.

해리가 대꾸했다.

"돈은 필요 없어. 뭔가를 해."

"뭐를?"

"수업 종이 치기 전까지 운동장을 네 바퀴 돌고 교실로 들어와."

"운동장을 돌라고?"

해리는 고개를 끄덕였다.

"내가 창가에 서서 한 바퀴를 돌 때마다 세어 줄게."

메리와 송이와 아이다가 움찔 물러나며 말했다.

"정말루 돌을 머겠단 말이야?"

해리가 대답했다.

"응, 시드니가 운동장을 다 돌면."

시드니가 말했다.

"하, 달리기 하면 바로 나라고. 넌 교실에서 돌 먹을 준비나 하고 있어!"

그러고는 뛰기 시작했다!

해리와 나는 위층으로 후닥닥 달려가 교실 창문으로 내다보았다. 시드니가 운동장에서 달리고 있었다. 해리는 시드니가 한 바퀴를 돌 때마다 손가락을 하나씩 세웠다.

가끔가다 시드니는 고개를 들고 해리가 지켜보고 있는지 쳐다보았다.

해리가 세 번째 손가락을 들었을 때, 나는 시계를 쳐다보았다. 아직 5분이나 남아 있었다!

시드니는 이제 점점 느려졌다. 하지만 결국 네 바퀴를 다 돌았다.

시드니가 교실에 들어와 의자에 털썩 주저앉았을 때 마침 수업 종이 울렸다.

시드니가 숨을 헐떡이며 말했다.

"해, 해, 해냈어."

시드니의 손이 교실 바닥에 닿을 듯이 축 늘어졌다.

"이, 이, 이제…… 네…… 차례……야."

해리는 책가방을 열어 냅킨을 꺼냈다. 그러고는 목에 냅킨을 걸쳤다.

송이와 메리가 걱정스럽게 바라보는 동안, 해리는 무거운 돌이 든 가방을 책상 위에 쿵 올려놓았다.

해리가 말했다.

"이제 먹는다!"

　그러더니 책가방에서 소금 통을 꺼내 혀에다 소금
을 탈탈 뿌리는 게 아닌가?

　"으으음, 짭짤한 감자 칩 맛이네."

　시드니가 의자에 똑바로 앉으며 말했다.

　"뭐 하는 거야? 돌을 먹어야지. 그건 소금이잖아."

　"소금도 돌이야, 시드니. 돌이라고."

　해리는 넘어질락 말락 하게 의자를 뒤로 기울이고
는 또 입 안에 소금을 착착 뿌렸다.

　"으으으음, 맛있어!"

　시드니가 팔짱을 꼈다.

　"나는 녹초가 되도록 달렸는데, 너는 소금이나 먹
고 있다고?"

해리는 입술을 날름 핥으며 "그래." 하고 대꾸했다.

메리와 아이다가 빙그레 웃었다. 송이는 키득키득 웃었다. 나는 엄지손가락 두 개를 치켜들었다. 시드니는 해리의 거미를 죽였으니 그런 꼴을 당해도 쌌다.

그때까지만 해도 나는 3학년이 된 것이 즐거웠다. 하지만 얼마 안 있어 무시무시한 소식을 듣게 되었다.

광산에서 일어난 살인

다음 날 아침에 선생님이 말했다.

"여러분, 우리 반이 9월 30일에 올드 뉴게이트 감옥 구리 광산으로 야외 수업을 가게 되었어요!"

모두가 기뻐서 소리를 지를 때, 나는 몸짓으로 해리한테 연필깎이 앞에서 만나자고 했다. 해리한테 이야기를 해야 했다.

해리는 책상 모서리에 대고 연필심을 뚝 부러뜨리고는 연필깎이가 있는 곳으로 왔다.

"무슨 일이야?"

"너, '최후의 낙하' 놀이 기구 탈 때 좀 무서웠지?"

해리는 잠시 말이 없었다. 해리는 자기 입으로 무섭다고 말하는 것을 싫어했다.

해리가 들릴 듯 말 듯 소곤거렸다.

"으응…… ."

"사실, 난 구리 광산 안까지는 들어가지 않았어. 왜냐하면…… 무서웠거든."

나도 무섭다고 솔직하게 말하려니까 힘들었다.

해리는 하얀 이를 반짝이며 씩 웃었다.

"야, 할 수 있어, 더그. '최후의 낙하'도 탔는데 광산에 왜 못 들어가? 네가 거미가 됐다고 생각해. 거미는 서늘하고 어두운 곳을 좋아하니까."

나는 끙 소리를 냈다.

"고맙다, 해리."

그러고는 연필을 깎고 나서 덧붙였다.

"내 옆에 꼭 붙어 있을 거지?"

해리가 소곤거렸다.

"딱풀처럼 딱 붙어 있을게."

9월 30일은 너무도 빨리 왔다.

버스에서 나는 해리와 같이 앉았고, 송이와 아이다와 메리가 우리 앞자리에 앉았다. 송이와 아이다와 메리는 낱말 맞추기 놀이를 했다. 첫 번째로 맞춘 낱말은 바로 이것이었다.

죄수.

나는 정말 죄수가 된 기분이었다. 나는 꼼짝없이 갇혀 버렸고, 도저히 빠져나올 수 없었다.

해리도 내가 초조해하고 있다는 것을 알았다. 나는 무릎을 덜덜 떨었다.

해리가 책가방을 열며 말했다.

"광산 생각은 하지 마. 다른 생각을 해 봐. 예를 들면……."

그러더니 은박지에 싼 뭔가를 꺼냈다.

"이거, 기억나?"

나는 해리가 은바지를 푸는 모습을 지거보았다.

"시드니의 소시지잖아!"

내가 불쑥 말하자, 해리가 손가락을 입에 갖다 댔다.

"쉿! 시드니가 바로 건너편에 앉아 있다고. 비밀이야. 녀석은 내가 소시지를 갖고 있는 줄 몰라."

"대체 그걸 어디다 쓰게?"

"나도 잘 모르겠어. 그냥 화석이 될 때까지 갖고 있을까 봐."

"소시지 화석이라고?"

나는 푸하하 웃었다. 그리고 나니 더 이상 무릎이 떨리지 않았다.

"응. 아니면 나중에 어디다 써먹게 될지도 모르고."

해리.

해리는 정말 대단한 녀석이다.

나는 해리와 같이 앉아서 정말 기뻤다. 해리 덕분에 버스를 타고 가는 동안 아무 생각도 나지 않았다.

한 시간 뒤, 버스가 광산에 다다랐다. 우리는 버스에서 내려 박물관에 있는 작은 기념품 가게로 갔다. 단풍잎을 바삭바삭 밟으며 걸어가니까 재미있었다. 나뭇잎이 빨강, 주황, 노랑, 갈색으로 물들어 있었다. 나는 마음속으로 '날씨가 참 화창하다.' 하고 계속 생각했다.

기념품 가게 안은 좁았다. 가게에서는 갖가지 책과 돌멩이, 옛날 구리 동전을 팔고 있었다. 음료수와 사탕 자판기도 있었지만, 선생님이 미식 축구 수비수처럼 자판기 앞을 턱 막아서며 말했다.

"엉뚱한 데 돈 쓰면 안 돼."

시드니는 시무룩한 표정을 지었다. 시드니는 벌써 동전을 꺼내 들고 있었다.

"어휴, 치사해. 바삭바삭한 초코바가 먹고 싶은데."

나는 화장실이 보이자마자 남자 화장실로 쏙 들어갔다. 긴장하면 늘 화장실에 가고 싶다.

이윽고 모두들 기념품 가방을 주렁주렁 들었을 때, 머리가 희끗한 아저씨가 와서 말했다.

"잘 왔다, 얘들아. 어서 모이렴. 이제부터 미국에서 맨 먼저 문을 연 구리 광산을 둘러볼 거야. 이곳은 우리 코네티컷 주에서 맨 처음 세운 감옥이기도 하지. 1700년대에는 죄수들이 광산에서 일을 했단다."

메리가 물었다.

"죄수들은 어떤 죄를 지었어요?"

메리는 연필과 공책을 들고 아저씨의 말을 받아 적고 있었다.

"대부분 말을 훔치거나, 가짜 돈을 만들거나, 강도질을 했지."

시드니가 물었다.

"강도는 뭘 빼앗았는데요?"

"음, 1780년에 강도 일곱 명이 에버니저 데이턴 대위의 집에 쳐들어온 일이 있었지. 강도들은 침대보를 찢어 대위의 부인을 꽁꽁 묶었어."

메리가 날카롭게 쏘아붙였다.

"에버니저 대위는 어디 있었는데요?"

"마을을 떠나 있었단다."

메리는 눈을 되록되록 굴렸다.

해리가 물었다.

"그래서 어떻게 됐어요?"

"음, 강도들은 부인을 의자에 묶어 놓고 두 시간 동안 집을 뒤졌어. 그러고는 외투, 망토, 가운, 비단 손수건, 은으로 만든 구두 조임쇠, 망원경 하나, 소총 두 자루, 미늘창 네 자루, 거기에다 금화, 은화, 구리동전을 450파운드(옛날에 미국에서 쓰던 화폐 단위. 지금은 달러를 쓴다. - 옮긴이)어치나 훔쳐 갔지."

메리가 물었다.

"미늘창이 뭐예요?"

"손잡이가 긴 도끼 같은 거란다."

우리는 아저씨를 따라 벽돌 벽으로 둘러싸인 뜰로 나갔다. 아저씨가 몸을 숙여 돌 몇 개를 집어 들었다.

"아무 데나 둘러봐도 구리 암석이 보일 거다. 초록 빛을 띤 돌이 구리 암석이야."

메리가 허리를 숙이더니 초록빛이 도는 뭔가를 손가락으로 가리키며 말했다.

"이건 구리가 아냐. 누군가 초록색 막대 사탕을 반쯤 먹다 버려 놓았어."

아이다가 말했다.

"으, 지저분하게. 거미까지 달라붙어 있어."

해리가 시드니를 보며 말했다.

"저 거미는 죽이지 마."

안내원 아저씨가 말했다.

"한 줄로 서려무나. 이제 광산으로 들어간다."

나는 해리에게 말했다.

"아, 맙소사. 드디어 올 것이 왔어."

해리는 내 바로 뒤에서 걸어왔다. 어찌나 바싹 붙어 있는지 해리의 따뜻한 숨결이 목덜미에 닿았다.

"잊지 마, 더그. 너는 거미야. 땅속 세계를 무지무지 좋아하는 거미라고."

나는 "노력해 볼게." 하고 소곤거렸다.

그리고 어기적어기적 광산으로 들어갔다. 앞에 놓인 길이 갈지자로 꺾이며 비탈 아래로 내려갔다. 갈수록 길이 더 좁아지고 어두컴컴해지는 것 같았다. 나는 난간이 나올 때마다 꽉 붙잡았다.

해리가 말했다.

"끝내준다. 광산 안은 서늘하네."

안내원 아저씨가 해리의 말을 들었다.

"맞아, 광산 안은 일 년 내내 11도란다."

해리가 "네, 서늘해요." 하고 다시 말했다.

나는 걸음을 멈추고 팔을 내려다보았다. 팔에 소름이 쫙 돋아 있었다!

해리가 "어서 가." 하고 말했다.

메리가 말했다.

"난 길을 따라 죽 걸려 있는 등불이 마음에 들어. 아주 멋져."

아이다가 말했다.

"이유! 머리 위로 물이 뚝뚝 떨어져!"

송이가 키득키득 웃었다.

"간지러워!"

안내원 아저씨가 빙그레 웃었다.

"땅에는 물이 있지. 우리는 지금 땅 밑에 있단다."

땅 밑이라고?

나는 정말로 지하에 있었다!

가면 갈수록 자꾸 어두워지고 축축해졌으며, 돌 천장도 점점 낮아졌다. 나는 더욱더 겁이 났다. 하지만 무섭다는 말은 절대로 입 밖에 내지 않을 작정이었다. 나는 그저 허리를 푹 숙이고 해리한테 딱 달라붙어 걷기만 했다.

10분이 지나자, 마치 땅속으로 몇 킬로미터는 들어와 있는 것 같았다. 내 심장은 커다란 징처럼 두웅, 두웅 울렸다.

송이가 사진을 찍었다.

"나는 바위가 좋아. 이다음에 크면 광부가 될까 봐."

'난 싫어.' 하고 나는 속으로 생각했다. 돌덩이가 떨어져서 나가는 길을 막아 버리면 어떡해? 인디언 조처럼 구덩이에 빠지면 어떡하냐고!

끝내 나는 안내원 아저씨한테 묻고 말았다.

"여기 얼마나 더 있어야 해요?"

안내원 아저씨는 "10분쯤." 하고 대답했다.

10분. 10분은 60초의 열 배니까, 앞으로 600초가 남았다는 뜻이었다.

나는 거꾸로 수를 세었다.

"육백, 오백구십구, 오백구십팔……."

시드니는 내가 긴장했다는 것을 알았는지 슬슬 약을 올렸다.

"너, 무서워 죽겠지? 지난여름에 해리도 '최후의 낙하'를 타고 벌벌 떨더니."

해리가 주먹을 움켜쥐었다.

시드니가 깔깔대자, 해리가 으르렁거리는 소리가 들렸다.

안내원 아저씨가 손전등으로 구석을 비추며 말했다.

"여기 좀 보렴. 여기에 구리가 많이 묻혀 있구나."

시드니가 돌아서서 속삭였다.

"사실은 초록색 도깨비야."

나는 벌컥 화가 치밀었다. 나는 도깨비 같은 건 믿지 않았다. 그러니 시드니가 하는 말 따위에 겁먹을 턱이 없었다! 나는 더욱더 아무렇지도 않은 척하겠다고 마음을 다잡았다. 나는 다시 수를 세었다. 이번에는 소리를 내지 않았다.

해리가 시드니에게 마지막으로 경고했다.

"이제 장난은 그만두는 게 좋을걸, 흐물흐물 오징어."

우리가 모퉁이를 돌아 텅 빈 작은 방으로 들어갔을 때, 안내원 아저씨가 잠깐 앉아서 쉬자고 했다. 아저씨의 목소리가 돌 벽에 메아리쳤다.

"내가 유령 이야기를 하나 들려주마."

나는 해리의 발목을 덥석 붙잡고 매달렸다.

"옛날에 에이블 스타키라는 죄수가 있었단다. 스타키는 감옥에 있는 동안 100달러를 모았어."

메리가 물었다.

"왜 감옥에 들어왔는데요?"

"가짜 돈을 만들었거든. 그래서 20년 동안 감옥에 갇혀 있어야 했어."

안내원 아저씨가 이야기를 이었다.

"스타키는 간수한테 돈을 줄 테니 탈옥을 도와 달라고 했지. 간수는 돈이 필요했기 때문에 좋다고 했어. 그리고 스타키에게 사람이 거의 다니지 않는 길을 가르쳐 주었단다. 길은 자물쇠로 잠겨 있는 철문 너머에 있었지. 그 길을 따라가면 땅 위로 뚫려 있는 우물이 나오고, 두레박을 끌어 올릴 때 쓰는 낡은 밧줄도 매달려 있었어. 간수는 스타키에게 그 밧줄을 타고 올라가면 자유의 몸이 될 수 있다고 말했지.

하지만 간수가 말하지 않은 사실이 있었어. 바로 밧줄 중간이 너덜너덜 해어져 있었다는 것이지. 간수는 사실 스타키가 무사히 탈출하기를 바라지 않았거든. 스타키가 탈출하면 자기가 위험해질 수 있으니까. '나중에 스타키가 붙잡히면 어떡하지? 혹시라도 일러바치면 어떡하지?' 하는 걱정이 들었던 거지.

드디어 스타키가 탈옥하기로 한 날 밤이 왔어. 광산 안의 모든 사람이 잠들었을 때, 스타키는 몰래 길을 따라가 낡은 철문에 이르렀지. 역시! 간수가 미리 자물쇠를 풀어 두었어. 스타키는 문을 열고 우물가로 달려갔지. 그리고 우물가에 다다르자 밧줄을 타고 위로, 위로 올라갔어.

하지만 반쯤 올라갔을 때 밧줄이 뚝 끊어져 버렸단다. 스타키는 그만 바닥으로 떨어져 죽고 말았지. 전설에 따르면 지금도 스타키의 유령이 나가는 길을 찾아 광산을 헤매고 있다는구나."

시드니가 눈을 감고 더듬더듬 손을 뻗었다.

해리가 소리 질렀다.

"아야야야, 내 머리를 쳤어!"

"나는 광산을 떠도는 스타키의 유령이다……."

"그만해, 시드니."

해리는 성난 목소리였다. 해리는 내 상태가 좋지 않다는 걸 알았다.

그래도 시드니가 계속 장난을 치자, 해리는 책가방을 열고 뭔가를 꺼냈다. 너무 깜깜해서 해리가 무엇을 꺼냈는지는 보이지 않았다.

해리는 일어서서 손가락으로 시드니의 어깨를 톡톡 쳤다.

시드니가 말했다.

"뭐야?"

해리는 대답하지 않았다. 계속 시드니의 어깨를 톡톡 치기만 했다.

"그만해!"

그래도 해리가 그만두지 않자, 시드니가 해리의 손가락을 움켜쥐고 쑥 잡아당겼다. 그러고는 비명을 질렀다.

"까아악! 내가 해리 손가락을 뽑아 버렸어!"

"꺄아악!"

반 아이들도 모두 소리를 질렀다. 시드니는 손에 뭔가를 들고 달랑달랑 흔들어 댔다.

하지만 안내원 아저씨가 시드니의 손에 손전등을 비추자, 우리는 모두 끙 소리를 냈다.

"소시지잖아!"

시드니가 해리를 노려보며 말했다.

"네가 훔쳐 갔구나!"

해리가 대꾸했다.

"빌려 간 거야. 지금 돌려줬잖아."

그러자 모두들 배꼽이 빠지게 웃어 댔다. 나도 깔깔 웃었다. 어둡고 축축한 광산 한가운데에서 그렇게 소리 내어 웃으니 기분이 좋았다. 그리고 마침내 길을 되돌아 나와 광산 입구 위쪽으로 비치는 햇빛을 보자 또 기분이 좋아졌다.

나는 밖으로 나오자마자 땅에 넙죽 엎드려 풀밭에 뽀뽀를 했다.

"아아아, 향긋한 땅아, 아름다운 하늘아, 싱그러운

흙아.”

해리가 내 팔을 퍽 때렸다.

“해냈군, 날쌘돌이.”

나도 되받아 해리의 팔을 쳤다.

“그래, 해냈어.”

선생님이 내 머리를 톡 건드리고 지나가며 재빨리
아이들 수를 세었다.

갑자기 선생님이 소리쳤다.

“한 사람이 없어!”

시드니가 사라지다!

도우미로 따라온 어른들도 다시 사람 수를 세어 보 았다.

선생님이 말했다.

"스물한 명이어야 하는데, 스무 명뿐이야. 누가 없 어졌지?"

해리와 나는 곧바로 알아차렸다. 우리는 "시드니 요." 하고 대답했다.

모두들 "시드니! 시드니!" 하고 소리쳐 불렀다.

안내원 아저씨와 어른 두 사람이 다시 광산으로 들어갔다.

선생님은 잔뜩 겁에 질린 얼굴로 이리저리 서성였다. 이제껏 선생님이 그런 얼굴을 한 적은 한 번도 없었다.

선생님이 말했다.

"계속 시드니를 불러."

"시드니! 시드니!"

안내원 아저씨가 어른들과 함께 돌아왔다.

"광산 안에는 없어. 길이 그렇게 넓지 않으니까 못 보고 지나쳤을 리가 없는데."

그러자 메리가 말했다.

"어쩌면 구덩이에 빠졌는지도 몰라요."

메리.

메리는 입만 열었다 하면 기분 나쁜 말을 했다.

해리는 조금 마음이 켕기는 것 같았다.

"소시지로 장난을 치는 게 아니었는데."

송이와 메리는 이른 한 사람과 함께 기념품 가게를

살펴보러 갔다.

세 사람은 이내 돌아와 머리를 흔들며 말했다.

"없어요."

선생님은 이제 울상이 되었다.

"대체 어디 있는 거지?"

다른 도우미 아줌마가 와서 숨을 헐떡이며 말했다.

"버스……에도…… 없어요."

"아아, 안 돼."

선생님은 고개를 푹 숙였다. 마음속으로 빌고 있는 것 같았다.

그때 갑자기, 난데없이, 시드니가 나타났다! 시드니는 단풍잎을 저벅저벅 밟으며 느긋하게 뜰을 가로질러 왔다. 가까이 왔을 때 보니, 시드니의 입가에 초콜릿이 묻어 있었다.

모두들 기뻐서 소리를 질렀다. 심지어 해리까지.

선생님은 가슴에 손을 얹었다.

선생님이 가쁜 숨을 몰아쉬며 "시드니!" 하고 불렀다.

"어라, 다들 뭘 그렇게 걱정하고 있어요? 잠깐 화장실에 다녀왔을 뿐인데. 해리가 손가락 장난을 쳐서 다들 깔깔댈 때는 나도 같이 웃었어요. 그런데 갑자기 신호가 와서 허둥지둥 광산 밖으로 뛰쳐나왔죠. 번개처럼!"

나는 얼굴을 찌푸렸다. 그게 다가 아닌 것 같았지만, 아무 말도 하지 않았다.

해리가 맨 먼저 시드니를 끌어안았다.

"네가 스타키처럼 죽지 않아서 정말 기뻐."

시드니가 대답했다.

"고마워, 해리. 너한테 좋은 소리 들은 건 이번이 처음이야."

시드니도 해리를 꼭 껴안았다.

선생님도 시드니를 꼭 안아 주었지만, 곧 시드니의 눈을 똑바로 바라보며 따끔하게 말했다.

"다시는 혼자서 멋대로 돌아다니지 마."

3학년에 올라와서 정말로 놀랍고 색다른 일을 많이 겪었지만, 야외 수업 때 있었던 일이 가장 크고 가장 멋진 사건이었다.

해리와 시드니가 화해를 했다.

그건 다 내가 광산에 들어간 덕분이었다.

수지 클라인

1943년 미국 캘리포니아 주에서 태어나, 버클리 대학교를 졸업했다. 초등학교 선생님으로 일하면서 어린이책을 쓰기 시작해 '해리', '송이', '허비 존스' 같은 현실적인 등장인물을 주인공으로 한 여러 편의 시리즈 책을 냈다. 오랫동안 아이들을 가르치면서 겪은 일을 바탕으로 꾸밈없는 웃음을 담은 이야기들은 "일상적인 교실 생활에 진정으로 어울리는 이야기.", "저학년 교실의 언어, 유머, 집단 역학을 포착하는 비범한 능력."이라는 평가를 받으며, 다양한 상을 수상했다.

"내가 쓴 이야기는 대부분 교실 생활과 우리 가족, 나의 어린 시절에서 비롯되었어요. 시간을 내서 글을 쓰기만 한다면 일상은 이야기로 가득하답니다."라고 한 클라인은 '말썽꾼 해리' 이야기에 대해 이렇게 덧붙인다. "해리와 더그, 송이 이야기를 영원히 쓸 수 있을 것 같아요. 이 책들은 가족, 우정, 교실에 관한 것이고, 그 세 가지는 나에게 너무나 소중하거든요."

프랭크 렘키에비치

1939년 미국 코네티컷 주에서 태어났으며, 로스앤젤레스의 아트센터 학교를 졸업했다. 작가이자 일러스트레이터로 활동하면서 여러 작가의 어린이책에 그림을 그리고, 직접 글을 썼다. 수지 클라인의 인기작 '말썽꾼 해리'와 '송이' 시리즈, 조녀선 런던의 '개구리' 시리즈의 삽화가로 잘 알려져 있다. 만화 같은 흑백 스케치가 익살스러운 이야기와 잘 어울리는 '말썽꾼 해리' 시리즈는 '생동감 넘치는 글과 웃음을 불러일으키는 그림'의 결합이라는 평을 듣는다.

렘키에비치는 이렇게 말한다. "나는 늘 유머 분야에 끌렸습니다. 내가 만든 책을 어린이들이 읽고 있는 모습을 보면 짜릿합니다. 아이들이 빙그레 웃을 때도 좋지만, 깔깔 웃음을 터뜨릴 때는 정말 좋답니다."

햇살과나무꾼

어린이책을 사랑하는 사람들이 모여 만든 곳으로, 세계 곳곳의 좋은 작품들을 소개하고 어린이의 정신에 지식의 씨앗을 뿌리는 책을 집필한다. 《꼬마 토드》, 《할머니의 비행기》, 《장화가 나빠》, 《에밀은 사고뭉치》 들을 우리말로 옮겼으며, 《놀라운 생태계, 거꾸로 살아가는 동물들》, 《신기한 동물에게 배우는 생태계》 들을 썼다.